BÂTONS À MESSAGE

TSHISSINUATSHITAKANA

Joséphine Bacon

BÂTONS À MESSAGE

TSHISSINUATSHITAKANA

MÉMOIRE D'ENCRIER

Nitauassimat umenu,
À mes enfants,
Kisos, Tshiuetin, Shashteu, Uasheshkun.

Merci à Laure Morali
pour l'inspiration qu'elle a fait naître en moi.

AVANT-PROPOS

Les arbres ont parlé avant les hommes.

Tshissinuatshitakana, les bâtons à message, servaient de points de repère à mes grands-parents dans le *nutshimit*, à l'intérieur des terres. Les Innus laissaient ces messages visuels sur leur chemin pour informer les autres nomades de leur situation. Ils plantaient deux morceaux de bois d'épinette blanche, plus ou moins courts, l'un à l'oblique de l'autre. Un bâton penché très près du sol contre un bâton vertical signifiait la famine, et son orientation désignait, comme une boussole, le territoire où ils se rendaient. Les *tshissinuatshi-takana* offraient donc des occasions d'entraide et de partage. À travers eux, la parole était toujours en voyage.

Mon peuple est rare, mon peuple est précieux comme un poème sans écriture.

Les aînés se sont tus, nous laissant l'écho de leur murmure... Leurs *atanukan*[1] nous ont appris à vivre. Mon grand-père a joué du *teueikan* à l'âge de

---

1 Voir lexique, p. 139-140.

quatre-vingt-huit ans, trop jeune, disait-il, pour en jouer. Mon père Pierrish a rêvé de *Papakassik*ᵘ, le Maître du caribou. J'ai rêvé deux fois au tambour. Nous sommes un peuple de tradition orale. Aujourd'hui, nous connaissons l'écriture. La poésie nous permet de faire revivre la langue du *nutshimit*, notre terre, et à travers les mots, le son du tambour continue de résonner.

Rêve, tu m'emportes dans le monde des visions qui chantent ma vieillesse. Je suis là parce que tu es là. Et je sais que le temps est au récit.

En écrivant ce livre, j'ai retrouvé les aînés porteurs de rêves, les femmes guides, les hommes chasseurs, les enfants garants de la continuité du voyage.

*Mamu uitsheututau aimun tshetshi
pimutataiak*ᵘ,
*pimipanu aimun anite etaiak*ᵘ,
*mititatauat tshimushuminanat tshetshi eka
unishiniak*ᵘ,
*aimitutau tshetshi minuinniuiak*ᵘ.

Accompagne-moi pour faire marcher la
parole,
la parole voyage là où nous sommes,
suivons les pistes des ancêtres pour ne pas
nous égarer,
parlons-nous…

Joséphine Bacon

L'AUTRE NORD
NANIM

La vieille Philomène d'Unaman-shipu,
un jour, m'a dit :

« Si tu sais regarder, tu verras l'étoile
de midi. »

Shashish, unaman-shipiu Pinamenapan
nitikuti :

« Nitau-aitapini tshika uapamau
apita-tshishikau-utshekatak[u]. »

Tshishikushkueu,
Femme de l'espace,
ce matin, j'ai revêtu
ma plus belle parure
pour te plaire

tu guideras
mes raquettes ornées
de l'*unaman* de mes ancêtres.

Mes pas feutrés
touchent avec respect
cette neige bleue
colorée par le ciel

l'étoile de midi
me conduit à *Papakassik*⁴
où m'attend la graisse
qui élève le chant de mon héritage
quand je pile les os.

Tshishikushkueu,
tshetshishep,
nueueshun
tshetshi minunuin

nimitimen, tshitshissinuatshituaut
nitashamat ka unamanishiuht
kie nin miam nimushum.

Metikat nipimuten
takutauat kunit ka uasheshkunishit
ka minin

apitatshishikau-utshekatak^u
Nititutaik^u nete ka tat Papakassik^u
Uin nika mupimeik^u
shashakuaitsheiani.

Mes sœurs
les quatre vents
caressent une terre
de lichens et de mousses
de rivières et de lacs,
là où les épinettes blanches
ont parlé à mon père.

Nimishat, nutin,
shatshitauat assinu
uapitsheushkamik^u mak massekushkamik^u.
Nimishat, nutin, shatshitauat
anite ka pimikaut shipu,
anite ka mishikamat shakaikan,
minaik^u uitamuepan nutauia.

Ils marchent
sans courbure,
attentifs
aux sons de la neige
sous la raquette

des bâtons
à message
les attendent
au milieu du lac gelé.

Pimuteuat
Shutshi-pimuteuat
natutamuat
tshikashameuat tshetshi
mamakushkahk

tshissinuatshitakana
pakushenitamuat
tekushinitaui
taushkam.

Nous sommes rares
nous sommes riches

comme la terre
nous rêvons.

Ninan apu mitshetiat
nuenutishinan

miam assi
nipuamunan.

Nomade de la taïga,
j'entends ton souffle...

pareil au son
du tambour.

Tshitaiatshin emushuat
nipeten tshineneun...

miam eshi-petuk
teueikan.

Les anciens
marchaient sans cesse

ils tiraient leurs traîneaux
sur la neige
et quand elle fondait,
ils naviguaient.

J'ai perdu la trace
de leur passage
vers la terre dénudée

sans guide
pour m'orienter.

Tshimushuminanat nekanat
nanitam aiatshipanat

pimutepanat
pimipitshipanat
utassiuat
pimishkapanat.

Kashikat
nunitauan nene umeshkanamuau
anite ka pimuteht mushuat

nipeikuteshin,
apu tshissenitaman
tshe ishi-tshituteian.

Toi qui as vu la famine
toi qui connais
les rêves

tu as tracé un sentier
pour que les enfants
suivent tes traces.

Tshin ka uapatamin
e shiuenannut
tshin ka tshissenitamin
puamuna

tshin tshimeshkanam
ka tutamin tshitauassimat
tshetshi mitemeht.

Fille du Nord,
mon grand-père
dit, sans colère :

« Le fils du Sud
appelle le vent d'Est
pour réveiller la tourmente
de l'Ouest. »

Sûr que les sons,
les chants et les danses
sentent le battement
des cœurs assemblés
au creux du tambour.

Tshiuetin-ishkuess,
tshimushum tipatshimu :

« Pashtautin-ukussimau
tepuatam[u] mamit uetinnit
tshetshi pekunat
akua-nutina. »

Apu tshishuapit,
tshissenitam[u] muk[u]
ka petakuaniti nikamuna,
nimuna uinuau petamuat
tshinanu tshiteinan anite
ka utamitiki tshiteueikanat
tshetshi mamu taiak[u].

Le Nord m'interpelle.

Ce départ nous mène
vers d'autres directions
aux couleurs des quatre nations :
blanche, l'eau
jaune, le feu
rouge, la colère
noir, cet inconnu
où réfléchit le mystère.

Cela fait des années que je ne calcule plus,
ma naissance ne vient pas d'un baptême
mais plutôt d'un seul mot.

Sommes-nous si loin
de la montagne à gravir ?

Nos soeurs de l'Est, de l'Ouest,
du Sud et du Nord
chantent-elles l'incantation
qui les guérira de la douleur
meurtrière de l'identité ?
Notre race se relèvera-t-elle
de l'abîme de sa passion ?

Je dis aux chaînes du cercle :
Libérez les rêves,
comblez les vies inachevées,
poursuivez le courant de la rivière,
dans ce monde multiple,
accommodez le songe.

Nitepuatik^u Tshiuetin.

Neuait itetshe nitaitapin
nitshiueshkuen
anite eshinniunanut
neu itashinanu
Ka uapishit miam nipi,
Ka uishauat miam tshikanishinanat
tshinanu tshitshishuapunnan
e uinipat anite eka nita
tshe nishtutamak^u.

Tatupipuna, apu atshitaman...
namaieu ut shukaitashun uetshian,
muk^u e tshi aimikauian.

Katak^u a tshititanan
anite tshe amatshueiak^u utshit ?

Tshimishinuat anite ut Mamit,
Akua-nutinit, Pashtau-nutinit
mak Tshiuetinit nikamuat a
anite ka iakuikuht utishinikashunuaua
tshetshi ui pashikushtishinitishutaui
anite eka ka nukushiht ?

Nuiten ute :

Punitak^u puamuna,
tshishi-inniutak^u inniun,
pimishkak^u shipu anite e takutueuepanit.
Ume assi ka mitshet inniunanut
minuta puamun.

Le passage d'hier à demain
devient aujourd'hui
l'unique parole
de ma sœur,
la terre.

Seul le tonnerre absout
une vie vécue.

Uin tshika uitam^u
uapannu katshi takuannit
utakushit au anutshish kashikat,
tshika peikutau aimunnu
nimish assi
uatak.

Nanimissu muk^u
tshikashinamakunan tshitinniunnu.

LES MAÎTRES
UTSHIMAUAT

Les ancêtres m'ont dit :

« Ton âme a rêvé bien avant toi.
Ton cœur a entendu la terre. »

Nimishumat nekanat nuitamakutiat :

« Tshitatshakush puamuishapan
eshk^u eka inniuin.
Shash petamushapan assinu tshitei. »

Ton coeur dit
d'où tu viens

pense à ton âme,
elle t'a donné la source
avant la naissance.

Tshitei uitam^u
anite uetshin

mamitunenim tshitatshakush
uin an ka minishk
anite tshe ituten,
eshk^u eka inniuin.

Papakassik^u, Atikuapeu
celui qu'on espère,
tu me mènes vers

Missinak^u
qui offrira la truite grise
de notre terre, et si

j'ai froid,
Uapishtanapeu
me gardera au chaud
dans mon sommeil

Ushuapeu
m'emportera près de

Tshishikushkueu,
celle qui veille
sur les battements de la terre
dans mon cœur.

Papakassikᵘ, Atikuapeu,
Pakushuenimakan
tshin ka pakushuenimikuin,
nimititen meshkanau anite

etat Missinakᵘ
uin nika ashamikᵘ
kukamessa shiueniani

Uapishtanapeu
nika tshishunak
shikatshiani
tshetshi minukuamuian,

Ushuapeu takushiniti
nipuamunit
uin nika uitamakᵘ

etati Tshishikushkueua
uin ka tshitapamikuiakᵘ
ute tshitassinat.

Un soir de pleine lune,
la mère de tant d'enfants
redonne espoir
à un enfant

une image donne
une multitude de couleurs
à une rivière
déviée de son lieu
de naissance

elle seule
saisit son cours
vers la mer qui nous berce
sur les vagues du sommeil.

Alanis umenu

Uetakussiti shakassineu pishim[u]
nuapamau ukaumau ka mitshetushet
e minat peik[u]
auassa pakushenitamunnu

innitsheuau mamitshetuait
ishi-uashteshiu
anite shipit
anite ut kuepitak

uin muk[u] tshissenitam[u]
nete tshe ishi-shatshituaunit
tshetshi uinipek[u] nipekakuiak[u]
natutuakut kashkanat.

FAMINE

NIUNIUN

Le caribou déserte nos sentiers,
le souffle de *Nutineteu*,
puissant du temps,
nous emprisonne

*Papakassik*ᵘ est fâché,
ses os sont éparpillés,
il ne répond plus
aux rêves

*Papakassik*ᵘ nous prive
de sa moelle et de sa graisse

nos sanglots
se meurent au nord de la nuit
dans les incantations
du tambour.

Apu tat atik[u]
Nutineteu
pitukamit
tshikanuenimikunan

Tshishuapu Papakassik[u]
papiushtenua ushkana
natakam[u] puamuna

Papakassik[u] apu ashamitak[u]
Apu takuak uinn,
Apu takuak pimi.

Auassat neshtumuat
petakushuat
nuash tshiuetinit
teueikan tshika
tshitimatshenimeu a.

Ce matin,
le regard vidé par la faim,
j'avance vers ton sein nourricier

femme, tu me nourriras
et je poursuivrai
ma marche

le découragement n'existe pas
quand on sait
que nous nous reverrons.

Tshetshishep,
nuapaten niuniun,
tshin ukaumau, nitishkuem

tshika ashamin,
tshika nushanin
shaputue tshi pimuteiani

apu takuak patshitenimun
tshe tshissenitakanit
kau tshe uapamituiak[u].

Papakassik[u], ce soir,
tu m'offres ton omoplate

chasseur démuni,
je n'ai pas besoin de carte,
car j'étends ton omoplate
dans un feu de braise
qui me guide vers toi.

Éparpillé,
tu me pardonnes

tu nous délivres
de la famine

je te vois :
demain, tu m'attendras
dans la toundra.

Papakassik^u
uetakussit apu tshekuan kanuenitaman
tshimin tshitinikan

nin, kanataut,
apu apashtaian assiu-mashinaikan,
nimitinikanishauen,
tshin tshuitamun anite tshe ituteiat
apu nita tshika ut niuniat.

Tshitashaminan ninan ka shiueniat
tshipapiunakaun muk^u nin nitshisseniten
tshe kashinamuin.

Nipuamunit tshuapamitin :
nitshisseniten eshuapamin emushuat.

La moelle de tes os
frappe
l'invisible,

œuvre aveuglante
sur l'omoplate
du caribou.

Tshuinnim utamitin
anite eka tshekuan
ka takuak,

uesham minuashu,
utinikanatik[u].

MOELLE

UINN

Silence.

Je suis adoptée.
Je suis maltraitée.
Je suis orpheline.

Eka tshituk^u.

Nikanuenimikaun.
Ninekatshikaun.
Tshiussan nin.

Silence.
J'entends des paroles.

Silence.
Les mensonges tonnent
dans ma tête.

Silence.
Tu m'as tout dit.

Eka aimiani,
nuiten aimuna.

Eka aimiani,
katshinassimuna
nipeten.

Eka aimiani,
nitshisseniten
nutim uatamuin.

Mon fils,
tu es rejeté,
tu as de la peine
de ne pas savoir
qui tu es.

Quand tu rentres chez nous,
le *kamanitushit* raconte
avoir rêvé de toi

une âme voit

un fils se tue,
une fille se perd
aveugles
au clair de lune
qui les habite.

Nikuss,
Tshukaienimikaun,
tshikasseniten
apu tshissenitamin
auen an tshin.

Innuat natshi-uapamatauat
Kamanitushit tipatshimu
ka puatishk

tshitatshakush matishu

ukussimaua ka-nipaitishunueni
utanishimaua ka-unishinueni
apu uapamakanniti
tipishkau-pishimua
uauieshinua
niakatuenimikut.

Mon enfance
n'a de visage
que les coups
reçus,
muette
face au soleil levant

Que reviennent
les premiers pas
de la saison de ma naissance

Nitauassiunnu
apu auen uapatak
ka utamaukuian
apu tshituian
petapan nitashuapaten

Nipa minueniten
kau inniuian.

Mon père aime ma mère,
mon père m'aime,
mon père me raconte
le temps passé.

Nutaui shatshieu nikauia,
nutaui nishatshik^u,
nutaui nitaiatshimushtak^u,
nutaui nuitamak^u ueshkat.

Ma douleur,
devenue remord,
est le long châtiment
qui courbe mon dos.

Mon dos ressemble
à une montagne sacrée,
courbée d'avoir aimé
tant de fois.

Nikassenitamun katshi
nishtutaman ekue
shikatenimuian.

Kashikat nushtueniten
eshinakuak nitinniun
nimateniten nuash
nishpishkunit.

J'offre des émotions
à une table desservie

Je ne retiens qu'une larme
apeurée
d'avoir saigné une terre sacrée
qu'on me confia

Pourvu que restent ces regards
qui l'ont vue

Nipatshitinen nimitunenitshikan
miam neshtunamani mitshishuakan

Muk^u peik^u maunapui
nikanueniten
usham nishetshishin
nin ka minikauian
tshetshi nakatuenitaman assi

Nipakushueniten
tshetshi tat auen
anu tshe minu-tshitapatak

Ma vie me parle

D'où arrives-tu ?

Je ne te vois plus
sur ta terre,
je ne t'entends plus
quand tu rêves

j'ai perdu tes traces

où sont passés
les chemins de portage ?

On dévie tes rivières,
les lacs crient et t'invitent
à les secourir.

Nitinniun nuitamak

Tanite eku tekushinin ?
Apu uapamitan
anite tshitassit.
Apu petaman tshipuamuna

apu uapataman anite
ka mitimein

tanite nekani
kapatakan-meshkanana ?

Shipua passepanua,
shakaikana tepueuat
tshuishamikuat
tshetshi uitshitau.

On semble m'appeler
à monter dans le bois,
là-bas, à l'intérieur des terres,
notre terre.

Il y a si longtemps
que je n'ai vu l'Innu
passer en traîneau,
semble-t-il me dire.

Il y a si longtemps
que je n'ai entendu
le son du tambour,
semble-t-il me dire.

Où sont donc passés
les Innus ?

Nitepuatakaunatak
tshetshi kushpian
nete nutshimit
nitassinat.

Shashish
apu uapamak innu
e pimipitshit,
nitikutak.

Shashish
apu petuk teueikan,
nitikutak.

Tanite
eku nekanat Innuat ?

Où sont passés les arbres
qui poussaient quand
je grandissais ?

L'intérieur des terres
a été vidé

Je pleure, je vide
mon âme
de souffle court,
assez pour respirer,
assez pour espérer

la vraie terre
la forêt
qui m'appelle

je m'assois
pour trouver
la paix.

Innuat kassenitamuat
tshitapameuat umishtikumuaua
mushuashkaikanu nutshimit.

Tanite nekanat mishtikuat
Ka nitautshiht natautshian ?

Nipumakan assi
ninekateniten
nunuitishinen
ninutenenen
eshk^u nipakusheniten tshetshi
uapataman

nutshimit
minashkuau
ka uishamit.

nitapin
tshetshi mishkaman
tshiam-inniun.

Ma peine m'est venue
d'une parole,
un soir d'orage,
alors que le tonnerre
réclamait
une tendresse silencieuse,

son sourd
que seule la pluie écouta.

Nitakuikun anite
aiminanuti,
uetakussit matshinakuan
nanimissuat tshituat
tshuishamik[u]
tshetshi shatshit
eka e tatueuetakanit,

muk[u], tshiminu
petak[u].

Mon rêve ressemble
à une paix
qui se bat
pour sa tranquillité.

Nipakusheniten
tshiam-inniun
nitashuapaten
puamuna.

Je connais des grands-pères
je connais des grands-mères
enfant égaré, retrouvé comme
un souvenir

Suis-je moi ?
Suis-je innue ?
Suis-je dans mon rêve ?

Celui qui crie la terre
sonne comme l'écho
de mes semblables

il nous voit.

Ninishtuapamauat nimushumat
ninishtuapamauat nukumat
miam auass ka unishinit
kau niminikuat nitinniunnu
ka uni-tshissitutaman

Nin an ume ?
Innu au nin ?
Nipuamunit a nititan ?

Sheuetak ne ka tepuatak assinu
miam nitshinnua

kie uin uapatam^{u} etananut.

J'ai su écrire en lisant
le *Tshishe-Manitu* des missels.

Je n'étais pas esclave,
Dieu a fait de moi son esclave.

J'ai cru, j'ai chanté ses louanges.

Indien donc indigne,
je crois en Dieu.

Dieu appartient aux Blancs.

Je suis sédentaire.

Ninitau-mashinaitshen
uet tshi tshitapataman
Tshishe Manitu utaiamieu-mashinaikan.

Nitipenimitishuti eshk^u eka
Tshishe-Manitu tipenimit.

Nitapueten etat nitaiamieu-nikamututuau.

Nitinnuti anutshish
nitapuetuau Tshishe-Manitu.

Kauapishiht nenua
Utshishe-manitumuaua.

Apu aiatshian.

Je me suis faite belle
pour qu'on remarque
la moelle de mes os,
survivante d'un récit
qu'on ne raconte pas.

Niminunakuitishun
nuash nishkana tshetshi uapatakaniti
tshetshi pishkapatakaniti
nin eka nita
tshe tipatshimikauian.

Tue-moi
si je manque de respect à ma terre

Tue-moi
si je manque de respect à mes animaux

Tue-moi
si je reste silencieuse
quand on manque de respect
à mon peuple

Nipaii
manenitamani nitassi

Nipaii
manenimakau
nitaueshishimat

Nipaii
eka tshituiani
manenimakanitaui
nitinnimat

MER

UINIPEK^U

Tu m'invites au bord
de cette eau inconnue.

Où est l'autre rive
si familière ?

Me trahis-tu,
toi, la rivière nourricière ?

Je ne te connais plus.

Tshuishamin tshetshi
uitsheutan naneu.

Tanite nene tekuak akamit
shukᵘ ka ituteian ?

Tshuieshimin a
tshin nishipim ka pakassin ?

Kashikat nunishin.

À Raphaël

Minishtikuss,
une petite île,
m'a raconté :

Quand île serait adulte,
m'emmènerait sur son canoë
jusqu'au soleil,
sans oublier
de revenir.

Sa carte sera tracée
par les étoiles
qui se reflètent sur une rivière
où courent les étoiles
dans ses yeux.

Minishtikuss
nitipatshimushtak :

Tshishapeuiani
tshika pushitin nitutit nuash
pishimut,
apu tshika ut
unitshissitutaman
tshetshi tshiueunitan.

Apu apashtat assiu-mashinaikannu
utshekatakua tshissinuatshiku
anite uapanitshakumakannua
ussishikut.

Quand il est petit,
il veut être grand

Quand il est grand,
il veut être petit

Je l'ai vu.

Ui mishishtu,
epishissishiti

Ui apishissishu,
meshishtiti

Nuapamati.

La vague m'appelle
vers le large,
où nous naviguons

Et si *Akuanutin* se lève,
ma grand-mère
la baleine
m'empêchera de dériver.

Kashkan nuishamik[u]
nete taukam,
anite ka pimishkaiat.

Akua-nutiki,
nukum mishtamek[u]
tshika tipinuaim[u]
tshetshi eka tshitaukuian.

MÉDECINES
NUTSHIMIU-NATUKUNA

Je ne me souviens pas toujours
d'où je viens

dans mon sommeil,
mes rêves me rappellent
qui je suis

jamais mes origines
ne me quitteront.

Apu nanitam ntshissenitaman
anite uetuteian

muk^u peuamuiani
nuitamakun

e innuian kie eka nita
tshe nakatikuian.

Mon ami m'a demandé :
« Ton grand-père a-t-il raconté ? »

Mon père a raconté :
« Carcajou nous a enseigné
notre mode de vie. »

Nuitamakuti nuitsheuakan :
« Tipatshimuipan a Tshimushum ? »

Nutaui nitaiatshimushtakuti :
« Kuekuatsheu tshiminikutan
tshe ishinniuiak[u]. »

Barricades à *Rapide Lake*,
beauté de la pénombre

je te vois
bouleversée,
un arbre te soutenant
sans que tu lui aies avoué
ta souffrance

ton regard fluide
n'attend qu'un geste.

Rapide Lake

Anite tshinanipaun
tshitshitapamitin
mishtikut tshitashpatshikapaun
tshetshi eka patshishinin
apu uitamut
meshanit tshikassenitamunnu

tshitaitapin
tshitashuapaten
tshetshi mishkuenitamin.

Toi, l'être connu,
inconnu, es-tu
de mon monde ?

As-tu vu
le frimas d'une saison,
une terre habitée ?

Pourquoi ne sais-tu pas dire :
« Où serais-je sans toi ? »

Tshin maniteu
apu nishtuapamiat
apu nishtuapatamin nitinniunnan
apu nishtuapatamin nitassinan.

Tshuapaten a pepuki
assit tananu ?

 Tshekuan ma eka ishin :
« Tanite nipa tati eka tainakue ? »

Si je fais ce que tu dis,
si je fais ce que tu demandes,
si je construis mon espoir,
me redonneras-tu
mon origine ?

Tutamani essishuein,
tutamani eshi-natuenitamin,
tutamani nin
nipakushuenitamun,
tshika min a kau nitinniun ?

Dessine-moi l'arbre
que tu es

Dessine-moi la rivière
que tu as racontée

Dessine-moi le vent
qui t'a fait voyager

Dessine-moi le feu
qui brûle en nous

Dis-moi que je suis ton au-delà,
dis-moi que tu es mon au-delà,
toi, l'animal blessé,
tes ancêtres t'ont conduit à moi
pour me raconter les images
de tes rêves.

Reste un peu dans ma mémoire
toi, l'homme, l'animal blessé,
reste un peu dans ma mémoire.

Tes murmures sonnent
la sagesse d'une vie vécue,
ton regard devine la paix,
ton cœur bat au rythme
des battements d'ailes de l'aigle

Unashinataimui tsheku-mishtik[u]
an tshin

Unashinataimui shipu
ka tipatshimishk

Unashinataimui nutin
ka pimipanishk

Unashinataimui ishkuteu
ka tshissukuiak[u]

Uitamui nanitam tshe shatshin,
uitamui nanitam tshe shatshitan,
tshin ka ushikuikuin,
tshimushumat tshipeshukuat
anite etaian
tshetshi uapatanin
ka matau-pikutakanit
ka uapatamin tshipuamuna.

Eshk[u] ta anite nimitunenitshikanit
tshin napeu, tshin ka akuikuin,
Eshk[u] ta anite nimitunenitshikanit.

Tshin tshiam-inniun ka uapatamin,
tshipeten tshitei
miam ka ishi-petuat
mitshishu

Ton sommeil est habité
par les esprits de ton peuple métis
silencieux.

La nuit étoilée
t'emporte dans un monde
qui te garde vivant.

Nepani tshitshisseniten
manituat e tepuataht
mashinnua miam tshin.

Tipishkati utshekatakuat
tshika kanuenimikuat
tshetshi eka nakashin.

Toi qui m'as
appris à être,
toi qui m'as donné
le savoir,
toi qui m'as appris
à rester sur mon chemin,
dis-moi aujourd'hui
où je dois aller
afin de retrouver
le sentier
des anciens.

Toi qui m'as faite
gardienne de la langue,
toi qui m'as chargée
de poursuivre ta parole,
je sais que tu me vois.

J'implore ton aide.

Tshin ka minin
tshetshi taian,
tshin ka minin
tshetshi tshissenitaman,
tshin ka minin
tshetshi eka unishinian
uitamui kashikat
tanite tshe ituteian
tshetshi mishkaman
meshkanau anite ka mitimeht
nimushumat.

Tshin ka minin
tshetshi akua tutaman aimun,
tshin ka minin
tshetshi tutaman aimun
tshe patshitinaman,
nitshisseniten tshuapamin ute etaian.

Tshinatuenitamatin tshetshi uitshin.

À José

L'ami que tu es
l'amie que je suis
n'a de cœur
que le tien
au regard d'une lumière
qui s'éteint
petit à petit
s'éclaire à la lueur
d'une étincelle

toi qui refuses
l'obscurité.

Shushe umenu

Tshin nuitsheuakan,
nin tshuitsheuakan,
nitei petam^u tshiteinu
tshuashteshin,
eka ashtue
papetshikashish
shashkaim^u anite

ka taian
tshetshi eka kashti-tipishkat.

À Rolande

Tant de lunes
nouvelles, pleines
sont passées
notre amitié devenue absence,
j'en ai fait mon amie.

Aujourd'hui tu es là
forte, fière
narguant la mort.

Qui pourrait croire
qu'un trop tard
s'échappe de mon cœur ?
Mais non, car la mémoire
te garde à jamais
dans la brunante de ma vie.

Dans mes nuits de rêve,
je te vois atteindre
l'horizon sans moi.

Rolande umenu

Mitshet pishimuat
apu uapamakau
kashikat apu uapamitan
uapaki kie tshin nuitsheuakan.

Anite tshititan
tshishutshishin
nanitam tshishutshiti.

Nimitaten
eka uapamitan
mauat apu mitataman
nitshisseniten nanitam
anite tshe tain etaian.

Eka unitshissituta
ka ititishauiak[u]
nanitam tshika uapan
nete e itutein
tuiesh apu tshi uitsheutan.

Seule, debout
la tête aux directions multiples,
je t'ai vue croire
en ce monde invisible

un seul sentier t'a conduite
au *kamanitushit*

J'ai vu tes yeux
pour les avoir regardés
toi qui nous vois
sans artifice

peu de mots sont utiles
pour te connaître

une vision de toi
voyage sur une terre
aux limites infinies
de ta croyance.

Naur umenu

Tshipeikukapaushin,
mamishue tshitaitapin
tshitapueten nutim
eka ka uapataman.

muk^u peikuau tshimititen
shash tshuapamik^u Kamanitushit

Tshipishkapamitin uesh ma
tshuapamititi,
tshin ka uapamiat pissik^u

apu mitshet aimuna apataki
tshetshi tshissenimikuin

uiapamikuni tshipimuten assit
nuash nete tshishikut
tshin ka nitau-aitapin.

Aux nations iroquoiennes

Fils de guerrier

Moi, fils de louve
moi, fils de guerrier
fidèle à ma nation
je l'ai vue s'effriter
par des guerres perdues
par des guerres gagnées
victorieux, je suis
de mon passé lointain
mais vivant

Moi, fils de louve
moi, fils de guerrier
j'ai vu mon désespoir
prendre forme
quand j'ai aperçu
l'espoir de mon peuple
voir ses mères se lever,
dire aux fils :
vous les guerriers,
nous sommes là
pour vous

Mon clan est le loup
mon clan est la tortue

Rateriioskowa[1]

Ronistenta iekwaho
roniha rateriioskowa
khekweniens :tha ak'wasi :re
wakerhiwakoten ne onkwehonwé rao
tirhiwake
waonkhineharon waterrio
tanon ne wateriio saakwat'kwe :ni
wakat'hwénon :ni tsi wakaton :on
i :non nitionkwénon
sé iation :hé

Ronistenha iekwaho
roniha rateriioskowa
tsiniwakeni konhraksens
io'kenta'onhatie
waokentane tsiieoken
tsinatéionkwaten'hontso :ni ne
onkwéhonwé
iethiken's iethinisten'o kon :à thie'konnete
thonwanawis aotiwennason :à i :sé
sewateriioskowa
kentho iakwes

Akitara o'kwaho
akitara a'nowara

---

1 Ce poème écrit en langue mohawk est interprété par
Chloé Sainte-Marie dans son album *Parle-moi*.

mon clan est l'ours
mon clan est le chevreuil, le bison
castor, anguille
je suis *mohawk*
seneca
oneida
onondaga
cayuga

Moi, fils de louve
moi, fils de guerrier
ma nation crie sa révolte
et parcourt dans ses rêves
ces espaces qui autrefois
l'accueillaient comme un fils
glorieux ayant su
protéger les siens
la terre de ses ancêtres
dans l'horizon sans dimension...

Moi, fils de louve
moi, fils de guerrier
parmi toutes les guerres
je reste fils d'une terre
qu'on m'arrache, me soudoie
on m'écrase, on me tue
mais toujours, je resterai
guerrier de cette terre
qui a vu naître nos mères
nos pères et nos enfants.

akitara ohkwari
akitara oskenonton, tawistawis
kananawen tiaweronko
wakenienkehaka
wakenontowanenhaka
wakenoiotehaka
wakenontakehaka
wakweionkehaka

Ronistenta iekwaho
roniha rateriioskowa
tewatateken teia kohenrhethà ta'onsakatenion
tehotaweienhaties nonen ro te tsens
ohontsakon : son tsiniiohtonne
ronwatienawakon rowatiien'o konia
a'tsanon'nia watienter'ha : on
keninonkare nahoten akwanen
iethisentho okona raonenhontsa
ontion'hontsa tsiniiokén

Ronistenta iekwaho
roniha rateriioskowa
tsitewateriio
ontionhontsa ionkhinistenha
tionkhiianonhtonse ionkhinikonhratenni
teiontia'tohrarakon tanon waonkiiah'sehte
tanon ne tiot'kon
rateriios ohontsa aorhiwake
ionkhinistenha a'ohontsa
tanon sonkwaniha
tanon ne iethiien'kona.

Tes cheveux blancs
racontent
tant de récits,
tant de parcours

les distances t'accueillent
dans la simplicité
des cérémonies

Aucun festin n'ose
t'inviter sans les Maîtres
qui nourrissent les corps affamés
de savoir ancien

Le dos courbé
tu traverses les temps

Tes yeux ne connaissent
aucune vieillesse,
tout comme le chasseur,
les bras tendus
sur sa terre dénudée ;
les lacs, les rivières, les ombles,
la truite grise illuminent
son visage, il chante
pour danser avec
la toundra

et que demain, hier
soient maintenant

Tshin tshitshishenniun
Tshinitau-tipatshimun
aiatshimuna, atanukana
katak^u tshututen

tanite ua itutein
tshuishamikaun anite mekushenanut

Mupimanuti
utshimauat aueshishat
tshika tauat
tshe ashamishkau

Nuakaukunuen
eshpish shashish ute taian

Apu tshi tshishenniuin
tshinapin miam
ka nataut
tshitakussinen
mushuau-assi, shakaikana
shushashu, kukamess
nishtunakushu
menuenimut, nikamu,
tshitaimueu uteueikana
tshetshi niminiti anite
mushuau-assit

uapan tutam^u utakushit
tshetshi takuak kashikat

ton pas léger
soulève l'espoir

un chant se fige
dans ta mémoire

tu deviens l'ancêtre
de tes ancêtres.

pemuteni tshinatshitishin
miam pakushuenitamun

nikamun petakuan
tshimitunenitshikanit

anutshish tshin
nimushuminan.

Rêve parallèle
à ma vie,
mon réveil te ressemble

je t'ai vécu
avant de te vivre.

Puamun
tshin tshuitamun
tshe ishinakuak uniani

tshuapamitin eshk^u
eka tutaman nitshishikum.

Quand une parole est offerte,
elle ne meurt jamais.

Ceux qui viendront
l'entendront.

Menutakuaki aimun,
apu nita nipumakak.

Tshika petamuat
nikan tshe takushiniht.

« Quand un enfant vient au monde, il est déjà debout », me disait hier mon amie Joséphine Bacon.

Dans le territoire, les femmes accouchaient et repartaient dès le lendemain, le nouveau-né tenu bien droit par le *takunakan* sur leur dos. Elles continuaient à marcher avec le clan contre le vent vers le nord, ou vers *uinipek^u*, la mer ; c'est là que les familles se retrouvaient pendant l'été pour laisser se reposer les esprits et les animaux de l'intérieur des terres. En quatre saisons, les Innus effectuaient un immense aller-retour entre les rives du Saint-Laurent et la Baie d'Ungava.

Joséphine est née en chemin comme tous les Innus avant elle, jusqu'à elle. Au début des années cinquante, alors qu'elle entrait dans l'enfance, le rythme millénaire de la marche était en train de se briser. Les Innus subissaient alors une transition douloureuse. On venait leur enlever leurs enfants afin de les élever à leur place dans des pensionnats catholiques.

On a assis les enfants debout pour en faire des sédentaires, on les a empêchés de parler leur langue et d'honorer le Maître du caribou pour leur faire réciter des prières dans une langue étrangère.

J'ai su écrire en lisant
le Tshishe-Manitu des missels.

Je n'étais pas esclave,
Dieu a fait de moi son esclave [...]

écrit Joséphine dont certains poèmes luttent avec le silence et transforment en paroles les cris étouffés d'une orpheline. Joséphine a perdu sa mère à l'âge de trois ans, un an avant d'entrer au pensionnat de Malioténam, d'où elle est sortie à dix-neuf ans. Là-bas, la langue innue se parlait en cachette. Les sœurs ne comprenaient pas son prénom, *Pipin*, en innu-aimun. Elles le prononçaient Bibitte. Comme elle est petite et toujours en mouvement, ce sobriquet qui lui est resté lui va bien. Si l'on cherche à quel insecte elle pourrait ressembler, il faudrait aller du côté de ceux qui portent la lumière dans leurs ailes depuis des temps anciens, la libellule ou encore la mouche, dite femme de ménage de *Papakassik*[u], car elle nettoie les os du caribou. *Utsheu*, la mouche, est toujours la première à se présenter dans la tente tremblante quand le *kakushapatak* invoque les Maîtres des animaux à le rejoindre.

Joséphine s'est réapproprié tout ce qu'on a voulu lui enlever pendant ses années de pensionnat, en collectant les récits des aînés auxquels elle sert souvent d'interprète, que ce soit pour accompagner les recherches d'anthropologues comme Sylvie Vincent ou Rémi Savard, les tournages d'Arthur Lamothe et de Pierre Perrault autrefois, ou encore comme réalisatrice de ses propres films documentaires.

Elle arpente les rues de Montréal sans avoir perdu ni le Nord, ni son sourire qui défie l'impossible. Quand elle a débarqué dans cette ville à vingt-et-un ans, alors enceinte de son premier enfant, un ami chasseur lui a amené un bébé castor orphelin pour lui tenir compagnie. Elle a co-habité avec le petit animal pendant trois mois, malgré les barrages qu'il fabriquait avec tout ce qu'il trouvait dans l'appartement, malgré les crises de colère de Fidel, le castor, quand elle ne lui ramenait pas de fraises du marché. Et quand il n'y avait plus assez de bois à ronger aux pieds des meubles, elle grimpait dans le tremble d'à-côté pour lui ramener des branches.

Comme ces chasseurs qui attendent d'être assez âgés pour fabriquer de leurs mains le tambour en peau de caribou qui laissera voyager leurs rêves les plus profonds, Joséphine a laissé le temps faire son ouvrage avant de se sentir prête à libérer son chant. Tant de récits se sont déposés en elle, ils sont devenus avec les années le terreau – de mousse, de neige, de lichen, d'empreintes de sabots et de raquettes bien rondes, d'osselets de tête de truite grise – de ses poèmes. Les aînés lui ont transmis la mémoire du *nutshimit* dans une langue très ancienne que les jeunes ne parlent presque plus. Ils lui ont enseigné les gestes de transmission et de partage nécessaires pour survivre à des périodes de famine – comme l'importance de laisser des messages derrière soi, à l'aide de bâtons, pour ceux qui viendront. En digne petite-fille de nomade, à son tour elle transmet et ainsi préserve la langue du *nutshimit*. Elle plante ses propres *tshissinuatshitakana* dans ce livre bilingue destiné tout autant aux Innus qu'aux lecteurs de la francophonie. En un recueil, elle ouvre les bras entre les mondes.

« Je suis devenue poète par hasard », dit-elle pourtant avec humilité, « j'écris sur les coins de table ». C'est vrai qu'elle écrit sur tout ce qui lui tombe sous la main – enveloppes, menus de restaurant, sous-verres, paquets de cigarettes, feuilles de bingo perdantes, serviettes en papier – et comme elle a peur de les égarer, elle me les confie. C'est ainsi que les poèmes de ce recueil se sont empilés sur une de mes étagères, comme si Fidel le castor en personne était en train d'œuvrer.

Certains textes étaient écrits en innu-aimun, d'autres en français. L'idée d'un recueil bilingue s'est imposée. Joséphine m'a invitée à l'accompagner dans ce voyage entre nos langues maternelles respectives. Pour rendre compte de la puissance d'évocation de l'innu-aimun, nous rapprocher de sa brillance d'os poli, suspendu par le chasseur à une branche d'arbre, nous avons dû dépecer le français – sans oublier de remercier l'animal de nous avoir offert sa chair.

Pendant nos séances de travail, assises côte à côte, il arrivait que je lui demande ce qui lui avait inspiré un vers, où je sentais qu'il se cachait quelque chose d'encore plus grand. Elle me répondait par exemple : « Un jour dans la toundra, Mathieu André, un grand chasseur, a écarté les bras pour se souvenir de tous les sentiers qu'il avait parcourus, du nom des rivières, des lacs, des montagnes, des endroits de rassemblements au bout de ses doigts. Il pointait les quatre directions et, tout à coup, se mettait à danser, puis éclatait de rire. J'entends encore son rire. » Tout en écoutant Joséphine, je notais les images qui lui revenaient :

> *[...] le chasseur,*
> *les bras tendus*
> *sur sa terre dénudée ;*
> *les lacs, les rivières, les ombles*
> *la truite grise illuminent*
> *son visage, il chante [...]*

Une autre fois, elle m'a raconté que son père lui avait dit qu'un hiver, dans le bois, il « se promenait seul à la recherche de petit gibier quand il a entendu une voix lui parler. Il a d'abord cru que quelqu'un était là, mais personne. C'est une épinette blanche qui lui parlait. » J'ai trouvé cette histoire si lumineuse que j'ai demandé à Joséphine si elle pouvait la raconter en poème. « Encore un poème ! », m'a-t-elle répondu, trouvant que le recueil était bien assez long comme ça. Je n'ai pas eu besoin d'insister. Elle s'est mise à prononcer avec un grand sourire ces mots qui, tout naturellement, coulaient :

Mes sœurs
les quatre vents
caressent une terre
de lichens et de mousses
de rivières et de lacs,
là où les épinettes blanches
ont parlé à mon père.

Si Joséphine est devenue « poète par hasard », décidément le hasard fait bien les choses...

Laure Morali

LEXIQUE

Akua-nutin : Vent du large

Atanukan : Mythe fondateur, légende

Atikuapeu : Homme-Caribou

Kakushapatak : Celui qui accomplit le rituel de la tente tremblante

Kamanitushit : Celui qui a le pouvoir de l'esprit

Missinak" : Le Maître des animaux aquatiques

Nanim : L'autre nord ou contre le vent

Niuniun : La famine

Nutineteu : Brouillard d'hiver sur un lac par temps très froid

Nutshitmit : À l'intérieur des terres, dans les territoires de chasse

Nutshimiu-natukana : Remèdes extraits de plantes médicinales de l'intérieur des terres

Papakassik" : Le Maître du Caribou

Takunakan : Porte-bébé en bois

Teueikan : Le tambour

Tshishe-Manitu : Dieu ou le Grand esprit

Tshishikushkueu : L'esprit féminin qui veille sur la terre

Tshissinuatshitakan : Bâton à message

Uapishtanapeu : Le Maître des animaux à fourrures

Uinn : La moelle

Uinipek^u : La mer

Unaman : L'ocre

Unaman-shipu : La rivière d'ocre

Ushuapeu : Le Maître des animaux ailés

Utshimau : Maître ou chef

TABLE DES MATIÈRES

L'auteur remercie le Conseil des Arts du Canada
pour son soutien à l'écriture de ce recueil
ainsi que l'Institut culturel et éducatif montagnais
pour la standardisation de l'innu-aimun.

Mémoire d'encrier reconnaît l'aide financière
du Gouvernement du Canada
par l'entremise du Conseil des Arts du Canada,
du Fonds du livre du Canada
et du Gouvernement du Québec
par le Programme de crédit d'impôt pour l'édition
de livres, Gestion Sodec.

Révision et standardisation de l'innu-aimun :
Yvette Mollen et Hélène Saint-Onge
Mise en page : Virginie Turcotte
Maquette de couverture : Johanne Assedou
Couverture : Étienne Bienvenu
Dépôt légal : 2ᵉ trimestre 2009
© Éditions Mémoire d'encrier

ISBN 978-2-923713-09-0
PS8603.A334B37 2009   C841'.6   C2009-940769-8 PS9603.
A334B37 2009

Mémoire d'encrier • 1260, rue Bélanger, bur. 201
Montréal • Québec • H2S 1H9
Tél. : 514 989 1491 • Téléc. : 514 928 9217
info@memoiredencrier.com • www.memoiredencrier.com

L'OUVRAGE *BÂTONS À MESSAGE / TSHISSINUATSHITAKANA*
DE JOSÉPHINE BACON
EST COMPOSÉ EN ARNO PRO CORPS 11/13.
IL EST IMPRIMÉ SUR DU PAPIER ENVIRO
CONTENANT 100 %
DE FIBRES RECYCLÉES POSTCONSOMMATION,
TRAITÉ SANS CHLORE, ACCRÉDITÉ ÉCO-LOGO
ET FAIT À PARTIR DE BIOGAZ
EN DÉCEMBRE 2020
AU QUÉBEC (CANADA)
PAR IMPRIMERIE GAUVIN
POUR LE COMPTE DES ÉDITIONS MÉMOIRE D'ENCRIER.